Disney · PIXAR

LÀ-HAUT

Le jeune Carl Fredricksen fixait l'écran du cinéma. Devant lui, plus grand que nature, apparut son idole, le célèbre explorateur Charles Muntz qui s'apprêtait à embarquer dans son ballon dirigeable, *l'Esprit d'aventure*, en compagnie de ses chiens. Ils prévoyaient se rendre en Amérique du Sud afin de capturer une créature nommée « le monstre des chutes du paradis ».

Plus tard, Carl souhaitait devenir un aventurier comme Charles Muntz !

Cet après-midi-là, Carl rencontra une fillette prénommée Ellie. Elle s'était approprié une vieille maison abandonnée qu'elle avait transformée en quartier général de Charles Muntz. Ellie invita Carl à faire partie de son club d'explorateurs. Elle accrocha une capsule de boisson gazeuse à son chandail et dit : « Toi et moi faisons partie d'un club, maintenant. »

Un jour, Carl se cassa le bras. Ellie lui rendit visite et lui montra son livre d'aventures à l'intérieur duquel se trouvait le croquis d'une maison qu'elle avait dessiné et qu'elle avait collé à côté des chutes du paradis.

« Promets-moi que tu nous y emmèneras. Croix sur le cœur ! » lui ordonna-t-elle.

Carl le lui promit, convaincu qu'ils allaient vivre des milliers d'aventures ensemble.

Plus tard, Carl et Ellie se marièrent et emménagèrent dans la vieille maison qui avait jadis été leur repaire.

Toutefois, ils ne devinrent jamais explorateurs. Ils rêvaient toujours d'aller aux chutes du paradis. Ils déposèrent leurs pièces de monnaie dans un pot, espérant épargner suffisamment d'argent pour faire leur voyage. Mais il n'y en avait jamais assez.

Les années passèrent, et Carl et Ellie vieillirent. Après le décès d'Ellie, Carl conserva la maison. Mais ce n'était plus pareil. Ellie lui manquait.

Un jour, un jeune scout nommé Russell frappa à la porte. Il souhaitait aider Carl afin de mériter son insigne d'assistance à un aîné.

Pour se débarrasser de Russell, Carl lui demanda de trouver un dodo long bec.

Quelque temps après, Carl reçut une mauvaise nouvelle.
Il était évincé de sa maison et forcé d'aller vivre dans une maison
de retraite. Il refusait de quitter sa maison. Tous ses souvenirs d'Ellie
s'y trouvaient.

Il se rappela soudain le rêve d'Ellie. Il attacha des centaines
de ballons au toit de la maison et s'envola en direction de l'Amérique
du Sud.

Soudain, quelqu'un frappa à la porte. Carl sursauta. Il se trouvait à des centaines de mètres du sol ! Qui pouvait bien frapper à sa porte ?

C'était Russell ! Il cherchait le dodo long bec sur le perron de Carl lorsque la maison s'était envolée.

« Je vous en prie, laissez-moi entrer ! » le supplia Russell.

Carl avait-il d'autres choix ? Il laissa entrer le garçon.

Carl devait ramener Russell chez lui. Il commença à détacher quelques ballons.

Soudain, la petite maison fut prise dans un tourbillon.

Lorsque la tempête fut passée, Carl et Russell aperçurent les chutes du paradis devant eux. Ils sortirent sur le perron, mais la maison atterrit sur le sol, éjectant ses deux occupants. La maison remonta dans le ciel, et Carl saisit le tuyau d'arrosage pour tenter de la faire redescendre.

Il y avait un problème : ils ne parvenaient plus à rentrer dans la maison. Elle était beaucoup trop éloignée du sol.

Russell eut soudain une idée : ils pourraient tirer la maison jusqu'aux chutes du paradis. Ils fabriquèrent des harnais à l'aide du tuyau d'arrosage afin de remorquer la maison.

Après un certain temps, ils prirent une pause. Russell grignotait
une tablette de chocolat lorsqu'un bec d'oiseau apparut dans
les buissons et se mit à mordiller sa collation !

« N'aie pas peur ! » dit Russell à la créature.

Il déballa plus de chocolat pour faire sortir l'oiseau
de sa cachette.

Lorsque la créature apparut, Russell sursauta. C'était le plus grand oiseau qu'il ait jamais vu !

L'oiseau aimait le chocolat. Il aimait bien Russell, aussi. Russell décida de nommer son nouvel ami Kevin.

Un peu plus loin, ils firent la rencontre de Dug, un chien qui pouvait parler.

« Mon maître m'a fabriqué ce collier qui me permet de parler, expliqua Dug. Ma meute m'a confié une mission spéciale. Avez-vous vu un oiseau ? »

Dug aperçut Kevin et essaya de le capturer, mais il était trop grand. Russell suivit Carl, Kevin suivit Russell, et Dug suivit l'oiseau.

Le soir venu, ils s'arrêtèrent pour se reposer. Russell s'inquiétait pour Kevin.

« Vous me jurez de ne jamais abandonner Kevin ? Croix sur le cœur ? » demanda Russell à Carl.

Carl sursauta. La seule fois qu'il avait fait une croix sur le cœur, c'était lorsqu'il avait promis à Ellie de l'emmener aux chutes du paradis.

« Croix sur le cœur », dit-il finalement à Russell.

Le matin suivant, ils trouvèrent Kevin perché sur le toit de la maison. L'oiseau appelait ses petits. Il s'avéra que Kevin était une femelle. Elle s'envola vers son nid.

Soudain, trois chiens féroces sortirent des buissons. Ils encerclèrent Carl, Russell et Dug. Les chiens faisaient partie de la meute de Dug. Lorsqu'ils apprirent que Dug avait perdu l'oiseau, ils lui ordonnèrent de ramener les explorateurs à leur maître.

Dug mena Carl et Russell vers une énorme grotte. Un vieil homme se tenait dans l'entrée. Carl avait déjà vu ce visage quelque part.

« Attendez ! dit-il. Êtes-vous… Charles Muntz ? »

L'explorateur invita Carl et Russell à entrer dans la grotte où se trouvait un énorme ballon dirigeable. Carl le reconnut sur-le-champ. C'était *l'Esprit d'aventure* !

Muntz raconta à Carl et à Russell la légende du « monstre des chutes du paradis ».

« Ça fait des années que je recherche cette créature », dit Muntz en leur montrant un prototype de la bête.

Russell découvrit qu'il s'agissait de Kevin. Muntz devint furieux. Il était convaincu que Carl et Russell tentaient de lui voler l'oiseau.

Au même moment, ils entendirent un cri à l'extérieur. Kevin avait suivi Carl et Russell en cachette jusqu'à la grotte. Les chiens se mirent à aboyer. Carl et Russell profitèrent de ce moment de confusion pour s'enfuir.

Kevin attrapa Carl et Russell et les déposa sur son dos avant de se précipiter hors de la grotte. La maison volait toujours derrière eux.

Soudain, un jet de lumière surgit de nulle part et pointa en direction de Kevin. Muntz les avait suivis à bord de *l'Esprit d'aventure* !

« Éloignez-vous de mon oiseau ! » grogna Muntz.

L'homme mit ensuite le feu à la maison de Carl ! Ce dernier ne pouvait laisser sa maison partir en fumée – elle contenait tous ses souvenirs d'Ellie. Il donna donc Kevin à Muntz.

Russell était furieux. Lorsqu'ils arrivèrent aux chutes du paradis, Carl feuilleta le livre d'aventures d'Ellie.

À sa grande surprise, il contenait plusieurs photographies d'Ellie et de lui au fil des années. Sur la dernière page, il y avait un message d'Ellie : « Merci pour l'aventure. Maintenant, vis-en une pour toi. » Carl sourit. Ellie avait réalisé son souhait au bout du compte. Leur vie passée ensemble avait été une longue aventure.

Soudain, Carl entendit du bruit sur le toit. Il aperçut Russell qui tenait un bouquet de ballons dans ses mains. Le garçon allait porter secours à Kevin.

Carl eut une idée. Il lança tous ses biens par-dessus le perron afin que la maison soit plus légère. Carl se rendit compte qu'il n'avait pas besoin de tous ces objets. Russell était plus important !

Carl aperçut *l'Esprit d'aventure* devant lui. Muntz avait capturé Russell. Carl saisit le tuyau d'arrosage, s'élança vers le ballon dirigeable et sauva Russell.

Lorsque Russell fut sain et sauf dans la maison, Carl retourna dans le dirigeable pour porter secours à Kevin. Muntz apparut, une épée à la main. Carl saisit sa canne et s'ensuivit un combat entre les deux vieillards.

Carl sema Muntz et retourna dans la maison. Soudain, BANG !
Les ballons éclatèrent les uns après les autres. La maison fit une chute
sur le dirigeable, puis Carl tomba sur le toit du ballon.

« Accrochez-vous à Kevin ! » cria-t-il à Russell et à Dug,
qui les avaient suivis.

Kevin vola vers la barre de chocolat que tenait Carl,
entraînant Russell et Dug.

Muntz se prit le pied dans les ficelles des ballons et s'envola
avec la maison.

À leur retour en ville, Russell reçut finalement l'insigne qui lui manquait.

« Russell, pour avoir aidé une personne âgée, envers et contre tous, j'aimerais te décerner le plus haut grade qui existe : l'insigne Ellie », dit Carl en épinglant le bouchon de boisson gazeuse à la ceinture de Russell.

Carl sourit. Il savait qu'il leur restait encore plusieurs aventures à vivre ensemble.